글자의 미로 속에서

행복을 찾는

난독증 아저씨의 이야기

(feat. GPT4)

박종욱

글자의 미로 속에서 행복을 찾는 난독증 아저씨의 이야기 (feat. GPT4)

발   행 | 2024년 5월 30일
저   자 | 박종욱
펴낸이 | 박종욱
표지디자인 | 김은정
펴낸곳 | 주식회사 에이비씨컨설팅
출판사등록 | 2021.01.28.(제2021-20호)
주   소 | 서울특별시 서초구 남부순환로 350길 36 프랜닥터 8층(양재동)
전   화 | 010-5241-6019
이메일 | jopark@assist.ac.kr

ISBN | 979-11-92786-51-3

글자의 미로 속에서 행복을 찾는 난독증 아저씨의 이야기

(feat. GPT4)

박종욱

저자 소개

박종욱

- 서울대학교 학사
- 서울신학대학 M.Div
- 서울과학종합대학원 경영학 Ph.D

대학재학 중 평생교육에 눈을 뜨고, 20대에 선교단체 간사로서 선교단체를 중심으로 대학생들을 일깨웠으며, 30대에 목회자로서 지역교회를 중심으로, 초등학생, 중고등학생, 대학생, 청장년, 노년에 이르기까지 전 연령대의 학습자들을 지도했으며, 40대에 직업 훈련 교강사와 코치로서 대기업, 중소기업, 스타트업의 CEO, 임원, 직장인들을 위한 직업 훈련 교육 및 진성을 통해서 직업과 관련된 역량 강화에 매진하였다. 50대에 경영학 박사학위(2021.2)를 받고, 서울과학종합대학원 글로벌 특임교수로서 더 전문적인 인재 양성을 위해 인생의 후반부를 헌신하고 있다. 최근 아가페사랑경영 관점으로 본 지속가능개발목표(UN SDGs)를 연구하여 저술하는 작업에 집중하고 있다.

연구 분야:

유엔 지속가능개발목표(UN SDG),

아가페사랑경영학, 아가페사랑경영관점, 사랑경영학,

조직구성원의 행복, 코칭리더십, 진성리더십,

도전적스트레스, 회복탄력성, 조직지원인식, 감사성향,

심리적임파워먼트, 직무재창조, 창의적자기효능감,

혁신행동, 학습목표지향성, 그릿, 피드백추구행동,

직무만족, 성장마인드셋

저서: 『사랑경영학』 (프롤로그: 조직구성원의 행복-이론 편)

『아가페사랑경영관점에서 본 품위 있는 일자리 제공』

『아가페사랑경영관점에서 본 인생 청사진 - 인생의 마지막
기말고사』

『아가페사랑경영관점에서 본 빈곤 퇴치(UN SDG 1)』

『아가페사랑경영관점에서 본 기아 종식(UN SDG 2)』

『아가페사랑경영관점에서 본 건강과 웰빙(UN SDG 3)』

『아가페사랑경영관점에서 본 양질의 교육(UN SDG 4)』

『아가페사랑경영관점에서 본 양성평등(UN SDG 5)』

『아가페사랑경영관점에서 본 물과 위생(UN SDG 6)』

『아가페사랑경영관점에서 본 깨끗하고 저렴한 에너지(UN

SDG 7)』

『아가페사랑경영관점에서 본 깨끗하고 양질의 일자리(UN SDG 8)』

『아가페사랑경영관점에서 본 깨끗하고 혁신과 인프라 구축 (UN SDG 9)』

『아가페사랑경영관점에서 본 깨끗하고 불평등 완화(UN SDG 10)』

『아가페사랑경영관점에서 본 지속가능한 도시(UN SDG 11)』

『아가페사랑경영관점에서 본 지속가능한 소비와 생산(UN SDG 12)』

『아가페사랑경영관점에서 본 지속가능한 기후변화 대응(UN SDG 13)』

『아가페사랑경영관점에서 본 지속가능한 해양 생태계(UN SDG 14)』

『아가페사랑경영관점에서 본 지속가능한 육상 생태계(UN SDG 15)』

『아가페사랑경영관점에서 본 지속가능한 평화와 정의, 제도 (UN SDG 16)』

『아가페사랑경영관점에서 본 파트너십(UN SDG 17)』

『아가페사랑경영관점에서 본 유엔 지속가능개발목표 (UN

『요한복음에 나타난 아가페 사랑 신학 VIII』

『요한복음에 나타난 아가페 사랑 신학 IX』

『요한복음에 나타난 아가페 사랑 신학 X』

『요한복음에 나타난 아가페 사랑 신학 XI』

『요한복음에 나타난 아가페 사랑 신학 XII』

『요한복음에 나타난 아가페 사랑 신학 XIII』

『요한복음에 나타난 아가페 사랑 신학 XIV』

『요한복음에 나타난 아가페 사랑 신학 XV』

『요한복음에 나타난 아가페 사랑 신학 XVI』

『요한복음에 나타난 아가페 사랑 신학 XVII』

『요한복음에 나타난 아가페 사랑 신학 XVIII』

『예수님의 기도 - 호라의 때와 하나님의 영광 (상)』

『예수님의 기도 - 호라의 때와 하나님의 영광 (하)』

『진성리더십 관점에서 본 기아 종식(UN SDG 2)』

『코칭리더십 관점에서 본 기아 종식(UN SDG 2)』

『코칭리더십 관점에서 본 건강과 웰빙(UN SDG 3)』

『진성리더십 관점에서 본 건강과 웰빙(UN SDG 3)』

『진성리더십 관점에서 본 양질의 교육(UN SDG 4)』

『코칭리더십 관점에서 본 양질의 교육(UN SDG 4)』

『코칭리더십 관점에서 본 양성평등(UN SDG 5)』

목 차

글자의 미로 속에서 행복을 찾는
난독증 아저씨의 이야기 (feat. GPT4)

어린 시절 나에게는 국어 시간이 고통스러웠다. 다양한 어려움이 있었지만, 가장 어려운 점은 국어책을 대표로 소리를 내서 읽는 시간이었다. 어린 시절 추억을 되살려 보면 다음과 같다. '누가 대표로 책을 읽을 것인가?' 선생님이 요청할 때면 친구들은 너나 할 것 없이 손을 번쩍 들고, '저요, 저요'를 외쳤지만, 나는 쥐구멍에라도 들어가고 싶은 마음이었다. 혹시 내 옆에 있는 친구가 선정되어서 '그 옆에'라는 선생님의 추상같은 지시가 내려지지 않을까 전전긍긍하곤 했다. 혹시나 돌고 돌아 내 차례가 오면, 긴장되며 땀이 나며, 평소에 보이지 않던 말을 더듬는 증상까지 나타나곤 했다. 모든 것이 내가 내성적이어서 그런 것으로 생각했다.

쓰기 또한 쉽지 않았다. 당시 일기를 검사하시던 초등학교 담임 선생님의 검열에는 어김없이 무엇인가 걸려서 일기를 다시 쓰는 나머지 공부를 하기 일쑤였다. 의미를 못 찾아서가 아니라 앉아서 연필을 들고 정자로 글씨를 반복해서 쓰는 것이 그야말로 고통이었다. 두세 번 반복 해서 다시 써오라는 사형선고 같은 담임 선생님의 지시를 받는 것은 일상이었고, 몇 번이고 다시 베껴 쓴 후에 통과를 받았을 때도 무슨 차이가 있는지 왜 통과되었는지를 분별하는 것은 늘 불가능하였다.

그래도 읽는 것과 쓰는 것을 굳이 비교해 보면 읽는 쪽이 훨씬 어려웠던 것으로 기억한다. 그것도 큰 소리로 읽는 것은 정말 쥐약이었다. 그래도 그것이 난독증이라는 생각은 한 번도 해 본 적이 없다. 모든 것이 나의 내성적인 성격 때문이라 생각했다. 생각해 보면 문제가 한둘이 아니었다. 초등학교에 들어가기 전 나는 말이 너무 없었던 것으로 유명했다. 친구 집에서 놀다가 집으로 돌아가려고 하면 친구의 어머니가 늘 이런 말씀을 하시곤 하셨다. "종욱이 오늘도 말 한마디도 안 하고 가네!!!" 이러한 피드백이 아마도 내가 내성적이기 때문에 이런 모든 문제가 생긴 것으로 생각하게 했던 것 같다.

초등학교 고학년이 되었을 때, 아버지가 큰 교통사고가 나셔서 의식불명으로 6개월을 중환자실에서 누워 계셨다. 풍요로웠던 나의 어린 시절은 이 사건으로 모두 끝나버리고, 딸 둘 있는 집안에 막내아들로 태어나 온갖 특권을 누리며 살던 나로서는 아버지가 편찮으시자, 장남이라는 매우 엄중한 무게를 견뎌내도록 요청받았다. 그러다가 기적적으로 아버지는 깨어나시고 복직까지 하시게 되었다. 나는 중학생이 되었고, 아버지를 극진하게 간호하시던 어머니가 혈압으로 쓰러지셔서 중학교 2학년 때 세상을 떠나시게 되었다. 이러한 복잡한 어린 시절의 기억들은 난독증이라는 한가한 생각을 할 수 없도록 나를 내몰았다.

어머니가 우리 가정의 너무나 소중한 존재였기 때문에 어머니의 부재는 우리 가정을, 정말이지 지옥으로 만들기에 충분했다. 연이은 아버지의 재혼과 이혼. 그리고 교통사고 후유증인지 아버지의 중풍과 오른쪽 팔다리가 마비되는 장애인 생활은 우리를 더욱 나락으로 떨어지게 했다. 지금 와서 생각해 보니 참으로 중고등학교 시절을 정서적으로나 경제적으로 힘들게 보낸 것 같다. 그러니 난독증을 생각할 겨를도 없었을 것이다.

나의 인생은 어머니의 죽음으로 획기적으로 변화되었다. 어머니와의 마지막 만남이 지금도 생생하게 기억난다. 학교를 마치고 어머니가 입원해 있는 병원에 병문안을 갔다. 당연히 가야 한다고 생각했었다. 그러나 어머니의 생각은 달랐다. '공부나 하지 뭐 하러 왔냐!!'는 핀잔이 매우 차갑게 날라 왔다. 그런데 그만 그것이 어머니의 마지막 유언이 되고 말았다. 그 후 볼 수 있었던 어머니의 모습은 수술을 마쳤으나 소생하지 못하시고, 산소호흡기에 의해서 숨만 유지하는 아주 가냘픈 여인의 모습이었다. 그러고는 어머니를 집으로 모셔 장례를 치렀다.

'공부나 하지 뭐 하러 왔냐!'는 어머니의 비수 같은 마지막 말이 유언이 되어 나의 가슴에 꽂혔고, 그것이 계기가 되어 그야말로 미친 듯이 공부하는 계기가 되었다. 내가 현재 프로필에 내놓을 만한 학력을 갖게 된 것은 모두 어머니의 마지막 유언 덕분이다. 천국에 계실 어머니에게 감사한 마음을 전한다. 이렇게 미친 듯이 공부하고 좋은 성적을 가지게 되었지만, 해결되지 않는 문제가 있었다. 바로 국어 성적이었다. 아무리 열심히 공부한다고 해도 이상하리만치 국어 성적이 오르지 않았다. 그나마 영어는 좀 나았지만, 그것조차 두각을 나타내지 못했다. 그래서 이제는 내가 언어습득이나 언어지각 능력이 다른 공부의 영역에 비해서 좀 떨어진다고 생각했다.

영어에 관한 일들도 정리해 본다면 다음과 같다. 대학원을 졸업하고 유학을 가고 싶었다. 당시 학점도 좋았고 경제적 여유가 없는 것을 제외하고는 유학을 가는 것이 매우 순리적인 진로였다. 새벽부터 학원 다니고, 열심히 영어 토플 공부를 했지만, 능률이 잘 오르지 않았다. 학문을 공부하는 것은 좋았지만, 영어 시험을 준비하는 것은 잘 되지도 않을 뿐 아니라 의미를 찾지 못하였다. 그래서 결국 그토록 가고 싶었지만, 유학은 포기하게 되었다. 물론 여러 가지 이유가 있었지만, 영어 점수를 얻지 못한 것도 중요한 이유 중 하나임이 분명했다.

이러한 일련의 과정은 나에게 언어습득 능력이 부족하다는 결론에 이르게 하였다. 그래서 언어습득 능력이 필요로 하는 일은 되도록 피하고자 했다. 무엇이든 강점을 가지고 일을 해야 한다고 생각했기 때문이다. 이러한 생각들은 난독중일 것을 생각하는데 내가 얼마나 먼 길을 돌아왔느냐를 설명하는 과정이 된다. 나는 50이 넘어 작가의 삶을 살기 전에는 난독증에 대해서 들어는 보았으나 내가 난독증의 카테고리에 속할 것이라고는 꿈에도 생각해 보지 못했기 때문이다.

이제 난독증을 생각하지 못했던 또 다른 삶의 경로를 생각해 보고자 한다. 나는 고등학교를 졸업할 때까지 단행본을 단 한 권도 다 읽어본 경험이 없었다. 여기서 단행본이란 문제집이나 공부 교재를 제외한 문학 혹은 비문학 작품의 단행본으로 나온 책을 의미한다. 어쩌면 단 한 권도 읽어본 적이 없을까…. 내가 생각해도 신기할 정도이다. 그리고 국어는 아무리 공부해도 성적이 오르지 않았지만, 상대적으로 수학은 재미있고 성적도 쑥쑥 올랐다. 영어는 엄청난 노력을 들여 입시에 무리를 주지 않는 선까지는 성공을 거두었다.

그래서 당연히 문과가 아닌 이과를 선택했고, 대체적인 이과 과목들은 비교적 선전했다. 물리나 생물을 비롯한 과학도 곧 잘했다. 그런데 이상하게도 화학과 지구과학은 잘 안

되었고, 공업이나 국사 등의 암기과목도 좋은 성적을 거두지 못했다. 그러다 보니 나는 완전히 문과 체질이 아닌 이과 체질이라고 스스로 굳게 믿고 있었다. 수학 경시대회에서도 대체로 좋은 성적을 거두었고, 심지어는 카이스트를 진학하고자 입학시험도 치렀으니 정말 이과 적성이라고 확신하고 있었다.

당연히 대학 시험도 이과로서 치렀고, 대학에 입학해서 대학 수학 및 기초과학을 접하게 되었다. 그런데 대학에 들어가 보니 완전히 상황이 달랐다. 대학 수학은 공부하기도 싫고 성적도 그리 좋지 못하였다. 나보다 고등학교 때 수학을 더 못하던 친구도 나보다는 대학 수학을 더 잘하는 것을 보고 깜짝 놀랐다. 더 나아가 아주 기초과학 과목인 대학 생물도, 대학 물리도 재미가 없었다. 그야말로 이과 과목들은 전멸하였다. 학점이 시들시들했다. 신기한 것은 그 좋아하던 이과 과목들이 대학에 와서는 공부하기도 싫었다는 것이다.

반면 사회학이나 인문학, 철학 등의 경우는 완전히 달랐다. 교수님께서 수업 시간에 하신 농담까지 기억이 날 정도로 집중력이 높았으며 성적도 좋았다. 처음에는 같이 공부하는 이과 친구들이 너무 뛰어나서 내가 뒤처지는 것은 아닌가 하고 열등감을 느끼기도 하였다. 그러나 문과 과목에 해당하는 것은 매우 재미있을 뿐 아니라 공부에 빨려 들어가고 우수한 성적을 거두며 다른 과에서 전공 학생들과 겨루어도 A+점수를 넉넉히 받아 내곤 했다. 이때쯤부터는 믿어지기 시작했다. "아!!! 내가 국어를 못했을 뿐이지, 이과 적성이 아니라 문과 적성이구나!!!" 현재의 나로서는 내가 문과 적성인 것에 대해서 추호의 의심도 없다.

이쯤 되니 내가 국어를 못한 것은 나의 언어능력의 부족이라기보다는 '한국의 중고등학교 시스템의 문제였다'라고 생각하기도 하였다. 난독증은 여전히 가능성조차 여겨지지 않았다고 말하고 있다. 대학 생활을 하면서 폭풍 독서가 시작되었고 밤낮으로 책을 읽었다. 특별히 한국 신예 작가들의 소설들은 나의 젊은 시절 인간을 이해하는 데 너무나 큰 도움을 주었다. 더 나아가 러시아의 문호 도스토옙스키와의 만남은 나를 완전히 독서광으로 만들어 버렸다. 읽고 또 읽고 또 읽었다. 그런데 그토록 재미있는 책을 읽는데 엄청나게 체력이 소진되었다. 누워서 보기도 하고, 다양한 방법을 취했지만 몰입해서 책을 읽었으나 매우 신체적으로는 피곤

함을 느꼈다. 원래가 다 그런 것이거니 생각하였다. 이쯤 되니 난독증은 생각도 하지 못했다.

내가 난독증이라는 말에 처음 주의를 기울였던 것은 처조카들이 어렸을 때의 일이었다. 아내의 처조카가 매우 뛰어난 신동 같은 아이였는데, 그 친구가 난독증이 있는 것 같다고 손위 처남이 이야기하는 것이었다. 그리고 난독증을 겪는 사람이 꽤 있으며, 난독증을 이겨낸 사람 중에 매우 훌륭한 위인들이 많다는 이야기를 들었다. 그때 난독증이라는 단어를 나의 삶 가운데 가까이에서 처음 접하게 되었다. 그러나 처조카의 이야기였지 나의 이야기는 아니었다.

세월이 흘러 흘러 여러 삶의 여정을 거치고 어느덧 나이 50이 넘었다. 만학도가 되어 박사학위를 받게 되었다. 이 과정을 통해서 논문을 쓰면서 글쓰기에 도전받게 되었고, 책을 언젠가는 한 권 써야겠다는 마음을 먹고 1인 출판사를 차렸으나, 차일피일 미루다가 박사학위 논문을 토대로 단행본 책을 내게 되었다. 드디어 작가의 길을 가게 된 것이다. 논문으로서 저작물을 시작했기 때문에 논문과 전문 서적을 집필하고 책의 권수가 늘어나게 되었다. 그리고 여러 가지 나의 직업 중에 목사로서의 직업이 있어 설교를 주기적으로 하다 보니 설교 및 강의를 준비하면서 책을 찍어내는 일종의 나만의 시스템을 만들게 되었다. 그러다 보니 어느덧 반 전업 작가의 라이프 스타일로 살아가고 있다. 아름아름 책을 내다보나 이제 곧 60권이 넘는 책을 출판한 작가로서 살아가고 있다.

어떨 때는 '내가 전업 작가인가'라고 착각할 정도로 나의 시간의 약 50%를 책을 쓰는 데에 투자하고 있는 것 같다. 어떨 때는 며칠씩 외부와 단절되어 작업에 집중하고 수염이 덥수룩하여 꼬질꼬질해 진 내 모습을 거울로 보노라면 내가 전업가의 삶을 살고 있는 것 같은 착각이 들 때가 있다. 일단 목표는 100권 채우기이다. 처음에는 네이버 프로필에 몇 번 넘기는 정도만 채워보자며 시작했는데, 이제는 무조건 100권을 향해 달려가고 있다.

그런데 고질적이고 근본적인 문제가 있다. 내가 글을 쓰고 자판을 두드릴 때 글자가 춤을 춘다는 것이다. 처음에는 나의 타자 능력이 부실해서라고 생각했다. 그러나 수십 권의 책을 집필하면서도 이 문제는 더욱 고질적으로 드러났다.

더 나아가 나의 책은 아무리 탈고하고 탈고해도 오자 탈자가 여전히 존재한다는 것이다. 오자 탈자의 유형은 매우 규칙적인데, 대체로 앞 글자의 자음과 뒷글자의 모음을 오탈자로 타이핑을 하는 경우가 많았다. 그야말로 글자가 춤을 추는 것이다.

내 말이면 곧이곧대로 믿어주는 내 아내도 처음에 내가 난독증이 있는 것 같다고 말했을 때 웃어넘겼다. 핑계를 대지 말라는 것이었다. 오탈자 탈고를 성실하게 하지 않아놓고 핑계를 댄다는 그런 반응이었다. 그러나 나의 난독증에 대한 자각은 결코 핑계가 아니었다. 60여 권의 책을 집필하는 과정에서 이러한 현상은 전혀 나아지지 않았을 뿐 아니라 점점 심해지고 있다고 해도 과언이 아니다. 글자가 춤을 춘다는 것을 받아들이니 글자자 더욱 자유자재로 춤을 추는 느낌이다.

만약 내가 난독증일 것을 받아들이지 않고, 책의 최종본에 오탈자가 좀 있더라도 괜찮다고 스스로 다독이지 않았다면 결코 작가로서 다작을 남기지 못했을 것이다. 사실 거의 그럴 뻔했다. 박사학위 논문을 기초로 단행본을 발행하고는 두 번 다시 책을 쓰고 싶지 않았기 때문이다. 일생의 숙원인 책을 한 권 출간했고, ISBN도 받았으니 더 이상 무엇을 바라겠느냐는 생각으로 작가로서의 나의 꿈을 이룬 것으로 끝나는 그런 순서였다.

그런데 무엇인가에 이끌리듯이 계속해서 책을 출간할 수 있었던 여러 가지 동력 중에는 나의 모교인 서울과학종합대학원 박사과정의 일종의 학풍 때문이다. 이 학풍은 설립자이자 내 대부분의 책에 영감을 주신 조동성 이사장님으로부터 기인 되었다고 생각한다. 소위 하버드 학풍이다. 조동성 이사장님은 서울대 경영학 학사를 졸업하시고 하버드대학교 경영대학원에서 경영학 박사학위를 받으시고 당시 최연소로 서울대학교 교수가 되신 이른바 천재시다.

나도 여러 방면에서 많은 천재라고 생각할 수 있는 사람들을 만났지만, 그중에 단연 최고의 천재는 조동성 이사장님이시다. 그분으로부터 흘러나오는 하버드식 학풍이 서울과학종합대학원대학교에 흘러넘치고 있다. 내가 이해하는 하버드식 학풍은 다른 학자들의 이론을 철저하게 공부하여 그것을 교수하는 시카고식 학풍과 대조를 이룬다. 하버드식 학풍은 무엇인가 자기만의 이론, 자기만의 모델, 자기만의 개념을 만들어 내는 것이다. 조동성 이사장님은 제자들에게 그러한 하버드식 학풍의 메커니즘을 만들어 내고 계신다. 칠십이 훌쩍 넘으신 연세에도 오늘도 청춘으로 넉넉히 그 일을 해내고 계신다.

그래서 우리 동문은 무엇인가를 만들어 낸다. 나도 용기를 내어 조동성 이사장님께서 주신 한 줄기 빛을 토대로 사랑경영학을 집필했고, 아가페사랑경영관점을 주장했으며, 아가페사랑관점을 신학적으로 적립하고 있다. 이러한 과정에서 아가페사랑경영관점에서 본 UN SDG를 다루게 되었다. 모두 다 새로운 개념이다. 이 학풍에 이끌리다 보니 60권 상당의 책을 집필했으며 100권을 향해 달려가고 있다. 퀄리티를 생각했으면 그렇게 못했을 것이다. 내가 무슨 자격이 있는가 생각했으면 그렇게 못했을 것이다. 아닌 줄 알면서도 조동성 이사장님이 늘 제자들을 향하여 말씀, 즉 '여러분은 천재이십니다. 여러분에게 오늘도 배웠습니다.'라는 그 말씀에 이끌리어 오늘도 책을 쓰고 있는 것입니다.

이렇게 다작하다 보니 내가 난독증이었고, 그 난독증과 함께 살아가고 있다는 것을 인정하지 않을 수 없게 된 것이다. 이즈음에서 네이버 지식백과에 나와 있는 난독증의 정의를 한번 정리하고 넘어가고가 보고자 한다. 두산백과에 의하면 난독증은 다음과 같이 정리할 수 있다.

"난독증

요약: 듣고 말하는 데에는 어려움이 없지만 문자를 판독하는 데에 이상이 있는 증세.

지능은 정상이지만 글자를 읽거나 쓰는 데 어려움이 있는 증세를 말한다. 이 증세를 가진 대다수 환자들은 낱말에서 말의 최소 단위인 음소를 구분하지 못한다. 어느 언어권에서나 난독증 환자가 생길 수 있지만, 비교적 발음체계가 복잡한 영어권에서 많이 발생하는 경향이 있다. 또한 비슷한 단어가 적은 언어권 나라일수록 그 발병률이 낮다. 유명한 과학자인 아인슈타인도 난독증이 있었던 것으로 알려져 있다.

발달상의 문제로 인한 선천성 난독증과 사고 후 뇌 손상으로 인한 후천성 난독증 등 2가지 유형으로 나눌 수 있다. 선천성 난독증을 가진 어린이는 정상적인 어린이들보다 말을 더디게 배우거나 발음상 문제가 나타나고, 숫자를 익히거나 단어를 맞추는데 어려움을 겪으며, 글자를 거꾸로 적는다. 간혹 색깔과 형태를 혼동하기도 한다.

후천성 난독증은 주변성 난독증과 중심성 난독증으로 구분하는데, 주변성 난독증의 종류와 증세는 다음과 같다. ① 무시 난독증: 단어의 처음 반이나 마지막 반을 잘못 읽거나 놓치며, 시야의 한 쪽 반을 무시하는 경향이 있다. ② 주의성 난독증: 낱자는 잘 읽지만, 단어 안의 낱자를 명명하는 데에는 매우 서툴다. ③ 낱자단위읽기 난독증: 단어 안의 각 낱자를 하나하나 읽어보고 나서야 단어를 인식할 수 있다.

중심성 난독증의 종류와 증세는 다음과 같다. ① 표충성 난독증: 비단어는 정확하게 읽지만 단어는 잘 읽지 못하거나 규칙화시켜서 읽는다. ② 음운성 난독증: 단어는 잘 읽지만 임의로 만들어 낸 비단어는 잘 읽지 못한다. ③ 심층성 난독증: 읽으려고 하는 단어 대신 의미적으로 관련된 단어를 읽는다. ④ 의미없이 읽기 난독증: 문자열의 의미는 알지 못하면서도 그 문자열을 소리 내어 읽을 수 있다.

아직은 완치할 수 있는 치료법이 없으며, 각 치료법마다 장점과 한계가 있다. 선천성의 경우 읽기의 기초를 쉽게 배우는 5~7세에 치료하는 것이 가장 효과가 크지만 환자의 부모들은 지진아로 오해하는 경우가 많기 때문에 치료시기를 놓치기 쉽다." [네이버 지식백과] 난독증 [dyslexia, 難讀症] (두산백과 두피디아, 두산백과)

서울대학교병원 의학 정보의 내용은 좀 더 입체적이다.

"서울대학교병원 의학정보

난독증

요약: 난독증(dyslexia)은 글을 정확하고 유창하게 읽지 못하고 철자를 정확하게 쓰기 힘들어 하는 것을 특징으로 하는 학습 장애의 한 유형으로 읽기장애라고도 한다.

정의

난독증(dyslexia)은 글을 정확하고 유창하게 읽지 못하고 철자를 정확하게 쓰기 힘들어 하는 것을 특징으로 하는 학습장애의 한 유형으로 읽기장애라고도 한다. 정확하지만 많이 느리게 읽는 경우도 난독증으로 진단할 수 있다. 난독증의 진단기준이 자주 바뀌다보니 아직도 수십 가지 서로 다른 진단기준이 사용되고 있어 진단기준의 일관성이 부족한 편이다.

좁은 의미의 난독증은 독해 능력은 정상이나 글자를 소리로 바꾸는 해독능력에만 문제가 있는 경우를 말하지만 일반적 의미의 난독증은 독해 능력에 상관없이 해독 능력의 문제가 있는 모든 경우를 포함한다. 유창하게 읽지 못하면 독서량이 줄어서 나중에 어휘력과 이해력도 저하될 수 있다.

지금까지 난독증은 원인이 아직 안 밝혀져서 확실한 치료방법이 없는 병이라거나 영어권에서만 있는 병, 치료를 할 수 없는 병, 글자를 거꾸로 읽는 병, 천재성도 함께 가지게 되는 병으로 잘못 알려져 왔다. 현재 난독증은 많은 연구가 되어 그 정체가 거의 밝혀진 병이며 우리나라에도 영어권과 마찬가지로 5%정도의 난독증 환자가 있고 그들도 조기에 진단받기만 하면 큰 어려움 없이 치료된다고 알려져 있다.

원인

과거 난독증은 시각적인 문제에 기인한 것으로 알려져 왔으나 최근 뇌 영상 연구와 인지심리학 연구 결과가 축적되면서 뇌의 기질적 원인에 의한 신경발달장애인 것으로 판명이 되었다. 유전의 영향이 커서 가족력이 있는 경우가 많으나 단일한 유전자가 아닌 여러 유전자가 관여하며 이 유전자들은 발달 초기 뉴런의 이동과 연결에 관여한다고 알려져 있다.

뇌 영상연구에서 좌뇌의 언어 및 읽기와 관련된 영역의 구조적, 기능적 이상이 일관되게 보고되고 있다. 뇌의 구조적 이상은 말소리를 가장 작은 단위까지 인지하고 처리하는 능력인 음운처리능력의 이상을 유발하는데 음운처리능력의 이상이 생기면 문자와 소리의 대응을 학습하지 못하거나 문자와 소리를 대응시킨 다음 이를 조합하여 의미 있는 낱말의 소리로 발음하지 못하게 된다.

현재 좌우뇌 불균형, 우뇌 억제의 실패, 말소리가 아닌 일반적인 청지각의 문제, 또 평형감각 또는 감각통합 문제는 난독증의 원인이 아닌 것으로 결론 내려진 상황이다.

증상

난독증은 정규교육이 시작되면서 또래들에 비해 학업수행이 뒤쳐지므로 교사 또는 부모에 의해 처음 발견된다. 읽기의 어려움 뿐 아니라 계산, 주의력, 또래 관계 등 여러 영역에 걸쳐 어려움이 동반되는 경우도 많다. 어려서 말하기가 늦거나 발음이 정확하지 않아 혀 짧은 소리가 늦게까지 지속되기도 하며 글자 공부나 책에 관심이 없어 독서경험도 부족한 경우가 많다.

초등학교 저학년 때는 읽을 때 오류가 많은데 1음절 단어나 음운변동이 있는 단어를 읽기 힘들어하고 단어 속 자음, 모음의 순서를 헷갈리는 모습을 보인다. 초등학교 고학년이 되면서 다음절어를 읽을 때와 조사 등 기능어를 읽을 때 생

략이나 대치하는 경향이 있다. 맞춤법이 자주 틀리고 작문
능력이 부족하며 날짜, 사람이름, 전화번호를 외우기 힘들어
한다. 청소년기가 되어도 여전히 읽기가 느리고 힘겨워서
독서나 공부를 싫어하며 맞춤법 실수는 성인기가 될 때까지
지속된다.

진단/검사

난독증은 지적장애, 단순발달지연만으로 설명되지 않아야
하므로, 지능지수가 70±5 이상이어야 하고 학령기 초기부
터 존재해야 하며 나중에 생긴 것이 아니어야 한다. 또 외
부 환경적 요인에 의한 것이 아니라야 한다. 빈곤하거나, 돌
봄을 제공하지 못하는 가정환경, 전체적으로 불충분한 교육
기회가 의심된다면 진단을 내려서는 안 된다.

학업기술의 발달에 지장을 줄 정도의 시력 혹은 청력 장애,
신경과 및 운동 장애가 그 직접적인 원인이 되어서는 안 된
다. 학습장애에는 ADHD, 의사소통장애, 발달성 조정장애,
자폐스펙트럼장애 같은 다른 신경발달장애는 물론 불안, 우
울, 양극성장애 같은 다른 정신장애도 공존하는 경우가 많

다. 이러한 경우에도 학습장애 진단을 내릴 수 있지만, 동반 질환이 학습기술의 습득을 방해한 주요인으로 판단되는 경우 학습장애로 진단하지 않는다.

병력청취와 문진을 통해 난독증이 의심되면 심리교육학적 평가가 필요하다. 심리교육학적 평가는 3부분으로 이루어지는데, 첫째, 아동의 지적수준 평가, 둘째, 읽기, 쓰기 영역에서의 학업성취도 평가, 셋째, 학습의 기저가 되는 정보처리능력에 대한 신경심리학적 평가다. 아동의 지적수준은 통상 웩슬러 지능검사로 측정한다. WISC-IV를 시행하는 경우, 아동의 지적수준을 전체지능이 아니라 GAI라는 지표점수를 통해 추정할 수도 있다. 학업성취도를 평가하는 도구는 학생의 현재 수준이 자기 학년에서 얼마나 뒤떨어져 있는지 알려준다.

학습의 기저가 되는 정보처리능력을 평가하는 국내 검사에는 CLT, KORLA,RARCP,BASA 등이 있으며 이러한 검사들은 공통적으로 의미단어와 무의미 단어 소리 내어 읽기, 긴 글 소리 내어 읽기, 음운인식능력 검사, 기타 음운처리능력 검사(빠른이름대기, 작업기억력, 단기 기억력), 받아쓰기와 언어이해력 평가와 같은 검사들로 이루어져 있다.

치료

아직 난독증을 치료하는 약은 없으며 언어치료와 특수교육을 통해 치료한다. 한글도 영어와 마찬가지로 자모문자체계(alphabetic writing systems)를 가지고 있는데 자모문자체계를 사용하는 문화권에서 발생한 난독증의 치료방법은 모두 유사하다.

난독증의 치료는 보통 음운인식 훈련, 체계적인 파닉스 교육, 해독 훈련, 유창성 및 철자훈련의 순서로 이루어진다. 음운인식훈련이란 말소리를 말소리의 가장 작은 단위인 음소 수준에서 인지하고 분절, 합성, 조작하는 능력을 키우는 연습을 말한다. 체계적인 파닉스 교육은 자모 낱자가 어떤 발음이 나는지에 낱자와 소리의 대응관계에 대해 학습하는 것이다. 해독 훈련에서는 파닉스 교육에서 배운 자모 낱자의 소리에 대한 지식을 이용해서 낱말을 읽을 때 낱말을 구성하는 모든 자음, 모음 소리를 합성해서 읽는 연습을 실시한다. 해독훈련이 충분히 이루어져서 어떤 낱말이든 추측하지 않고 정확하게 읽을 수 있다면 글을 유창하게 읽는 연습과 불러주는 소리를 듣고 받아쓰는 연습을 시작한다.

음운인식능력을 중심으로 한 치료의 효과와 조기개입의 이득에 관한 객관적 증거는 많이 축적되었다. 그러므로 청지각훈련, 시지각훈련(안구운동, 얼렌 렌즈 등), 감각통합치료, 운동치료(IM), 뉴로피드백 등 근거가 빈약한 치료가 난독증 아동에게 권하여져서는 안 된다.

경과/합병증

예후는 학생이 가진 음운처리능력의 약점이 얼마나 심한지와 이를 보완하는 지능을 비롯한 다른 인지적 능력이 얼마나 강한지에 달려 있다. 조기에 발견하고 집중적인 치료교육을 적절하게 실시한다면, 대부분 극복할 수 있거나 어려움이 최소화된다. 조기에 인지 못한 경우, 현재 가진 장해를 우회하거나 보상할 수 있는 책략을 지도하거나 보조기기를 제공하는 것이 도움이 된다.

아울러 학교에서 외국어 대신 다른 과목을 이수할 수 있게

해 주거나 시험시간을 연장해주거나 구두로 시험을 치를 수 있게 해주는 등의 편의를 제공해 주면 점차 학습기술의 발달이 촉진되고 학교적응에 도움이 된다. 늦게 발견이 되거나 제대로 된 치료가 제공되지 않는다면, 읽기와 쓰기 문제가 성인기까지 지속될 수 있다."

[네이버 지식백과] 난독증 [dyslexia] (서울대학교병원 의학정보, 서울대학교병원)

이러한 설명은 매우 복잡해 보인다. 반면 난독증에 대한 정리는 유튜브의 다음 영상이 가장 설득력이 있어 보인다. 여기에 영상의 URL 주소를 남긴다.

https://youtu.be/zafiGBrFkRM

나무위키의 정리는 더욱 대중적으로 보인다.

"난독증

최근 수정 시각: 2024-04-22 22:51:22

1. 개요 難讀症 / Dyslexia

듣고 말하는 데에는 어려움이 없지만 문자를 판독하는 데에 이상이 있는 증세. 특수교육학에서는 읽기학습장애로 부르며 학습장애의 일종으로 분류한다.

2. 증상

일반적으로 읽기는 우리가 무의식적으로 별로 어려움 없이 하지만, 글자를 눈으로 보고 단어로 인식, 그리고 그 의미와 내용을 이해하는 복잡한 과정의 결합이다. 예를 들어 ´아빠´

라는 글자를 읽으려면

저 시각적인 기호를 ㅇ, ㅏ, ㅃ, ㅏ로 분리할 수 있어야 하고,

ㅇ과 ㅏ를 각각 비슷하게 생긴 ㅁ과 ㅑ와 헷갈리지 않고 구별할 수 있어야 하고

ㅇ, ㅏ, ㅃ, ㅏ를 각각에 해당하는 한국어 소리에 대응할 줄 알아야 하고

그래서 그 소리가 '아빠'를 뜻한다는 사실을 인지하고 있어야 하고

이 모든 과정이 순식간에 자동적으로 아무런 지연이 없이 일어나야 한다.

난독증 환자들은 이 과정이 늦어서 문자를 읽는 데 어려움을 겪는다. 이를테면 '아빠'의 '빠' 부분을 뇌가 해석하고 있는데 뇌의 다른 부위에서는 '아'의 시각적 정보를 이미 잊어먹어 결과적으로는 '아빠'로 연결되지 않는다. 또는 자형이 빽빽한 문자를 볼 경우, 아예 다른 글자로 인식해서 자신이 알고 있는 단어 정보와 연결시키지 못하는 경우도 있다.

3. 지능과의 상관관계

난독증 환자라고 해서 머리가 나쁜 것은 아니다. 실제 난독증 환자 중에서 언어능력에만 이상이 있을 뿐 암산이나 기계조작에 능한 경우도 있으며 머리가 비상한 사람도 있다. 이러한 이유로 학계에는 난독증이 오히려 천재들을 만든다는 주장도 제기되고 있다. 이러한 주장의 이유로는 책을 읽을 수 없게 되면서 논리를 관장하는 좌뇌가 약한 걸 커버하기 위해 우뇌가 발달하며 다른 사람보다 월등한 창의력을 갖게 된다는 것이다. 컴퓨터로 치자면 일반인이 txt 파일같이 문자로 글을 머리속에 넣는 반면에 난독중 중에는 bmp 같은 그림으로 인식해서 읽어들이는 경우도 있는데, 이쯤 되면 이미 머리가 좋다 나쁘다의 문제가 아니라 그저 정보 처리 방식이 다른 것이다. 이런 계통의 난독증은 글자 자체는 잘 읽는데 글자체가 달라지면 읽는 데 엄청 애먹는다고 한다. 상형문자의 성격이 강한 한자를 읽을 수는 있지만 익숙하게 사용하지는 않는 사람이, 해서체만 잘 읽고 행서체나 초서체를 잘 읽어내지 못하는 것과 비슷하다.

보통 사람에게 인위적으로 이와 같은 능력을 부여하는 훈련도 있는데, 이게 바로 속독법이다. 글자도 영상의 형식으로 덩어리채 인식하고 해석한다는 의미에서 포토리딩이라고 부르는 사람도 있다. 사실 체계적인 속독법 연습을 하지 않은 사람도 처음에는 글자를 하나씩 읽지만 책을 많이 읽다 보면 자신이 한 단어나 여러 단어를 한꺼번에 읽어들이고 있음을 깨닫는 경우가 있다. 예컨데 '사과'라는 단어가 있다면 처음에는 '사'라는 글자와 '과'라는 글자를 각각 읽고 뇌에서 이를 붙여서 '사과'라는 단어로 치환하고 이것을 과일 사과라는 개념과 연결하지만 책읽기에 익숙해질 경우 '사과'라는 형태 자체를 보고 바로 그 과일의 개념을 연상한다는 것이다. 특히 이런 경향은 외국어, 그 중에서도 한문을 읽을 때 도드라지는데 특정 단어나 구절을 덩어리로 인식하기 때문에 한자 하나 하나는 못 읽더라도 한 단어나 문장을 통으로 보면 이해가 될 때가 많다. 책읽기에 더 익숙해지면 두세 개 단어를 한꺼번에 받아들여 한꺼번에 의미와 형태를 연결할 수도 있는데, 속독법이란 체계적인 학습을 통하여 이런 과정을 의도적으로 단축시키는 기술에 가깝다.

4. 이 질환을 앓고 있는 유명인

Lil Pump

MC 스나이퍼

가이 리치

개빈 뉴섬

김신영

넬슨 록펠러

노엘 갤러거

니콜라스 빈딩 레픈

다이아몬드 댈러스 페이지

대니얼 파우터

레오나르도 다 빈치

마야 호크

무하마드 알리

베아트리스 공주 – 7살이 되던 해 난독증을 진단 받았으며,
그로 인해 학업에 많은 어려움을 겪었다고 한다.

벨라 손

빅토리아 잉리드 알리스 데지레

성룡

셸마 헤이엑

셰어

스티브 맥퀸

스티브 잡스 – 애플 창업자

스티븐 네이스미스

스티븐 스필버그

알베르트 아인슈타인

애거서 크리스티

앤 밴크로프트

앤드루 키시노

양현석 – 힐링캠프에서 나와 설명하길, 태어나서 책을 한 권도 끝까지 읽어본 적이 없다고 한다.

에릭 애덤스

엠아이에이

오지 오스본

올랜도 블룸 – 학창시절에 학습에 많은 어려움을 겪었으며 지금도 대본을 읽어주고 대필해 줄 어시스턴트를 두고 있다고 한다.

우피 골드버그

원태연 – 한국난독증협회 홍보 대사를 역임하기도 했다.

잉그바르 캄프라드 – 이케아 창업자

재욱임

잭(인터넷 방송인) - 5인조 버츄얼 보이그룹 리 레볼루션 소속

제니퍼 애니스턴

제레미 브렛 - 영국 그라나다판에서 셜록 홈즈를 맡아서, 홈즈 그 자체로 불렸던 전설적인 배우.

제이 레노

제이미 올리버

조달환

조슈아 웡

조지 W. 부시

김희주

채닝 테이텀

카라 델러빈

카야 스코델라리오

칼 16세 구스타프

칼 필립 에드문드 베르틸

케이틀린 제너

키아누 리브스

키이라 나이틀리

토머스 에디슨

토미 힐퍼거 – 패션 브랜드 TOMMY HILFIGER 창업자

톰 크루즈 – 난독증이 있었다.

톰 홀랜드

팀 버튼 – 어릴 땐 난독증이 있었다고 한다.

패트릭 뎀시

헨리 윙클러

헬싱란드와 에스트리클란드 여공작 마들렌 공주

헨리 힐 – 영화 좋은 친구들의 실제 주인공.

5. 인터넷에서

위의 질병에서 생겨난 신조어로, 글의 요지를 잘못 알거나 말귀를 못 먹는 사람, 더 나아가서는 동문서답 수준의 댓글을 다는 사람을 조롱하는 말로 사용되고 있다. 글자를 잘못 읽은 경우나 글을 읽기 위한 지식이 부족한 경우 모두 가리킨다. 위의 예시대로 어떤 사람을 비하하는 데 '난독증'이라는 단어를 사용하는 것은 실제 난독증 환자에게 큰 실례이므로 사용하지 말자.

글자를 잘못 읽은 사례는 비교적 드물고, 대다수는 오독 현

상이다. 해당 문서 참고

한편으로는 통계 자료나 문헌 자료를 잘못 읽거나 해석해서 잘못된 사실을 유포하거나 전파하는 경우도 있는데, 이것은 문헌오염의 범주에 들어가며, 상당수의 가짜뉴스들이 전파되는 원인으로 작용하기도 한다. 특히 통계 자료의 경우, 같은 주제의 통계라 할 지라도 기관마다 집계방식에 차이가 있어서 수치가 다르게 나올 수가 있는데, 통계 자료의 인용 과정에서 이 부분이 간과되는 경우가 으레 있다.

6. 기타

난독증이라고 하기에는 뭐하지만 특정 글자를 잘못 읽는 경우가 종종 있다. 한글/문제점 및 논쟁 문서 참고.

다른 이유로는 시력 등의 이유로 잘 안 보이는 경우가 있다. 간단하지만 생김새 때문에 헷갈리는 경우도 있다. 같은 이유로 지금은 둘 다 없어졌지만 파주시 버스 8800번(금촌-서울역)과 8880번(교하-일산-서울역) 간에도 혼동되는 경우가 많았다. 그 외에 서울 버스 5614 - 서울 버스 6514같이 숫자가 복잡하고 유사한 패턴이면 그럴 확률이 있다. 청구역의 옛 명칭이 광희문역이었는데 같은 노선에 단 몇 정거장 차이로 광화문역이 있기 때문에 역명이 바뀌었다.

비슷한 예로 일부러 엉터리로 쓰는 야민정음이 있다.

수학에도 난독증과 비슷한 현상이 있는데 이는 난산증이라고 한다.

난독증 학생을 지원하는 조례를 제정한 지방자치단체가 많다. 해당 조례들은 대체로, 난독증 학생 조기 선별 검사비 지원, 학생 및 학부모 상담, 의료기관 등에의 연계 지원 등을 내용으로 하고 있다.

미국 항공우주국에서 일하는 직원의 50% 이상이 난독증을 갖고 있다는 도시 전설이 미국 인터넷에서 널리 퍼진 적이 있었는데, 거짓으로 밝혀졌다. 상식적으로 판단해도 평균 학력의 대졸자들이 많이 입사하는 NASA에서 SAT 대학 입시를 통과해야 하는데 난독증이 있는 사람들이 얼마나 있을지 의문이다.

난독증 환자를 위한 폰트가 나왔다고 한다.

한국에서 초등학생 2만 3491명이 난독증인 것으로 의심되거나 추정되는 것으로 나타났다.

SBS 드라마 별을 쏘다에서 조인성이 연기한 구성태라는 캐릭터가 난독증을 앓고 있는 것으로 나오고, 인도 영화 지상의 별처럼에서 난독증이 있는 아이의 이야기를 다루고 있다.

ADHD와도 동반되는 경우가 많고, 오진되는 경우도 적지 않다.

7. 관련 문서

맥락맹
심리학 관련 정보
의료 관련 정보"

관련 문서에 '맥락맹'이 있는 것이 흥미롭다. 최근 딸과의 대화에서 종종 듣곤 한다. "아빠 혹시 맥락맹이야!!!"

이러한 난독증에 대한 전문적인 이해와 대중적인 이해를 하는 것도 중요하고, 필요하다면 전문적인 진단을 받아 보는 것도 필요할 것이다. 어쩌면 저와 같이 나이 50이 넘어서 나의 삶을 뒤돌아보면서 내가 어렸을 때, 그리고 나의 인생이 중요한 순간들에서 이러한 행동과 어려움을 겪었던 것은 바로 난독증 때문이었구나 라고 받아들일 수 있다면 그것은 참으로 특권이 아닌가 하는 생각이다.

난독증을 겪고 있는 나도 작가가 되어 책을 쓰고 있으니, 작가로서의 꿈이 있다면 주저하지 마시고 도전해 보시기를 바란다. 에세이 장르로 이러한 글을 쓰는 것도 나에게는 매우 도전적인 일이다. 지금까지 집필했던 책의 스타일과 완전히 달라서 쓰는 데 훨씬 오랜 시간이 걸리고 있다. 그래도 한번 도전해 보는 것이다. 혹시나 난독증인 분이 있다면, 오늘 나의 이 이야기가 자신의 난독증을 받아들이고 극복하는 데 조금이나 도움이 되면 좋겠다는 마음에서 도전해 보고 있다.

혹시 전혀 생각해 보지 않고 있다가, 혹은 그런 줄 전혀 몰랐다가 이 책을 읽고, '나도 난독증이었나 봐' 하면서 인생의 과거가 싹 정리되는 분도 있을 수 있을 것이다. 그런 분들에게는 과거의 나를 정리하고, 현재 내 모습을 용서하면서, 앞으로 나아갈 힘을 얻었으면 좋겠다. 혹시 여러분의 가장 가까운 사람들이 여러분의 난독증을 이해하지 못하거나 핑계라고 핀잔을 주더라고 널리 이해해 주시기를 바란다. 그리고 한번 도전해 보시기 바란다. 평생에 내 작품하나 남겨보리라 생각하고 작가로서 도전해 보시기 바란다.

여러분의 작가로서의 도전을 응원하는 의미에서 일반적으로 단행본의 최소 분량이라고 여겨지는 20페이지 글쓰기에 도전해 보시기 바란다. A4용지 20페이지냐고 아니다. 제 다수의 책과 같이 127x188mm 책자의 20페이지다. 혹은 더 작은 소책자여도 괜찮다. 여러분의 신변 잡기적인 이야기여도 좋다. 누가 안 읽어주면 어떤가. 책으로 큰돈 벌 생각일랑 버리고, 여러분의 작품을 꼭 한번 남겨보라고 도전해 드린다.

박사과정에서 논문을 쓸 때, 논문으로 고민하는 학생들에게 조동성 이사장님께서 종종 하시는 말씀이 있었다. "논문으로 노벨상 탈 것이 아니라면 빨리 논문을 쓰고 학위를 받은 후에 더 좋은 논문을 쓰는 것도 좋은 방법이다."라는 취지로 말씀하시곤 하셨다. 그리고 박사학위를 받았을 저에게 개인적으로 이런 말씀을 하셨다. "Welcome to the world." 여러분을 작가의 세계로 초청한다. 그리고 환영한다. 여러분의 작가로의 세계로의 도전을 응원한다.

이 에세이를 쓰기 위한 기획 단계에서 GPT4에게 다음과 같이 질문을 했다.

질문: 난독증을 겪고 있는 50대 남성이 작가로 살아가면서 겪게 되는 일상을 에세이로 쓴다면 어떻게 쓸 수 있을까?

그러자 신통한 GPT4가 다음과 같이 답을 해 주었다.

답변:
난독증을 겪고 있는 50대 남성이 작가로서의 삶을 에세이로 표현한다면, 다음과 같은 구성 요소를 고려할 수 있습니

다:

서론: 난독증과의 첫 만남

어린 시절 난독증을 처음 인지하게 된 순간과 그로 인해 겪었던 어려움을 서술합니다.
난독증 진단을 받았을 때의 감정과 이로 인해 변화된 일상의 모습을 풀어냅니다.

본론: 작가로서의 도전

글쓰기에 대한 열정이 어떻게 난독증의 어려움을 극복하게 했는지 이야기합니다.
작가로서 겪은 구체적인 어려움들, 예를 들어, 맞춤법 오류, 긴 문장 구성의 어려움, 읽기와 관련된 작업의 느린 속도 등을 솔직하게 나눕니다.
이러한 도전을 어떻게 극복하였는지 구체적인 예시와 함께 설명합니다. 예를 들어, 기술의 활용, 편집자와의 협력, 초고를 다듬는 과정 등을 언급할 수 있습니다.

전환점: 자신감과 성장

작가로서 경험이 쌓이면서 얻게 된 자신감과 난독증을 가진 사람들에게 긍정적인 영향을 줄 수 있는 방법을 모색합니다.

자신과 비슷한 어려움을 겪고 있는 다른 이들에게 영감을 주고, 글쓰기의 즐거움과 가능성을 전파합니다.

결론: 난독증과 공존하는 삶

난독증이 자신의 삶과 작가로서의 정체성에 어떻게 통합되었는지를 성찰합니다.

미래의 작가들, 특히 학습 장애를 가진 이들에게 조언을 제공하며, 난독증이 장애가 아니라 다른 방식으로 세상을 바라보고 표현할 수 있는 독특한 능력임을 강조합니다.

후기: 독자에게 전하는 메시지

난독증을 가진 이들이 그들만의 방식으로 성공할 수 있음을 강조하며, 자신의 이야기가 독자에게 어떤 영감을 줄 수 있기를 희망하는 마음을 전달합니다.

이러한 에세이는 개인적 경험과 깊은 성찰을 통해 난독증과 그것이 일상에 미치는 영향, 그리고 극복 과정에서 얻은 교훈을 공유함으로써 독자에게 깊은 공감과 영감을 줄 수 있을 것입니다.

참으로 훌륭한 친구다. 이렇게만 쓸 수 있다면 정말 베스트셀러가 될 수 있을 것 같다. 나름 큰 도움이 되었다. 논리 정연하게 단락을 나누어서 쓰지는 못했지만 정말 큰 도움이 되었다. 여러분도 GPT4의 도움을 받아 작가의 길을 가보기를 바란다. 나는 평소에 나의 전문 분야에 관한 연구에서는 GPT4의 도움을 전혀 받지 않는데 생소한 에세이를 쓰면서는 도움을 받아 보았다. 참으로 훌륭한 비서이다.

이 훌륭한 비서에게 또 질문을 해 보았다.

질문: 고마워, 책 제목을 무엇으로 하면 좋겠는지 10개만 추천해 줘

답변: 물론이죠! 난독증을 겪고 있는 작가의 삶과 경험을

다룬 에세이집에 어울리는 책 제목을 아래에 제안해 드릴게요:

글자 너머로: 난독증과 함께하는 작가의 여정

페이지를 넘기다: 난독증과 씨름하는 한 작가의 이야기

단어의 무게를 견디며

문장 속으로: 어려움을 글로 쓰다

뒤얽힌 글자, 펼쳐진 이야기

읽기를 넘어서: 난독증 작가의 실천적 삶

글의 향연: 난독증을 가진 작가의 세계

글쓰기의 새로운 언어: 난독증을 가진 한 작가의 고백

난독의 미학: 창조적 글쓰기로의 여정

글자로 만든 다리: 난독증을 넘어서

이러한 제목들은 독자들에게 책의 주제와 저자의 개인적 경험을 반영하면서도 흥미를 끌 수 있도록 고안되었습니다. 좋은 선택이 되길 바랍니다!

그야말로 너무나 훌륭한 비서이다. 칭찬을 아끼지 않는다.

좀 더 세부적인 질문을 해 보았다.

질문: 글자 너머로: 난독증과 함께하는 50대 남성 신입 작가의 여정 – 이런 제목을 조금 더 세련되게 표현했으면 하는데 가능할까.

답변:

제목을 좀 더 세련되게 다듬어 볼 수 있습니다. 여기 몇 가지 수정 제안을 드릴게요:

글자 너머로: 난독증과 함께하는 50대 신입 작가의 여정

글자 너머: 난독증을 겪는 50대 신입 작가의 이야기

문자의 저편: 50대 신입 작가와 난독증의 동행

글자를 넘어: 50대 난독증 작가의 시작과 여정

글자의 경계를 넘어: 50대 신입 작가의 난독증 도전기

이 제목들은 저자의 나이와 난독증을 겪으며 글쓰기에 도전하는 내용을 간결하게 표현하면서도, 독자의 호기심을 자극할 수 있도록 디자인되었습니다. 좀 더 특정한 분위기나 메시지를 원하시면 말씀해 주세요!

감탄이 절로 나오는 답변이다. 한 번 더 심화 단계로 들어가 보았다.

질문: 난독증과 함께하는 50대 신입 작가의 여정 - 이 제목을 좀 더 머리에 꽂히게 업데이트해 줘.

답변:

제목을 더욱 강렬하고 기억에 남도록 업데이트 해보겠습니다. 다음은 그러한 요구를 충족시킬 몇 가지 제안입니다:

글자의 미로: 50대 신입 작가와 난독증의 여정

난독의 향연: 한 신입 작가의 파란만장한 시작

문자를 넘다: 난독증을 가진 50대 신입 작가의 발자취

책장 너머: 50대 신입 작가의 난독증 도전기

글자를 넘어서: 50대 난독증 작가의 새로운 여정

이 제목들은 도전적이고 독특한 경험을 표현하면서 독자의 관심을 끌 수 있도록 설계되었습니다. 선택하신 제목이 책의 내용과 잘 어울리길 바랍니다!

너무나 훌륭한 답변이다. 그래서 한 번 더 물어보았다.

질문: 5개 중에는 너의 생각에는 어떤 것이 가장 좋아 보이니

답변: 저는 **"글자의 미로: 50대 신입 작가와 난독증의 여정"**이라는 제목이 가장 인상적으로 보입니다. 이 제목은 난독증을 가진 작가가 글쓰기라는 미로를 헤쳐나가는 여정을 상징적으로 표현하고 있습니다. 또한, "미로"라는 단어가 주는 복잡하고 도전적인 이미지가 난독증이라는 주제와 잘 어울리면서도 호기심을 자극하는 요소를 가지고 있습니다. 이러한 제목은 독자들에게 깊은 인상을 남길 수 있을 것입니다.

너무나 똑똑한 비서이다. 여러분도 한번 이 세계와 들어와 보기 바란다. COME & SEE.

여러분의 작가로의 도전을 응원하며, 난독증과 함께 생활하며 글을 쓰는 50대 남성 작가의 신변 잡기적인 이야기를 여기서 마치고자 한다.

부록 - 칼럼: 아가페사랑경영관점에서 본 SDG

사랑경영학은 사랑과 경영학의 합성어이다. 조화를 이루기가 힘든 두 단어라고 볼 수 있다. 사랑과 경영학은 과연 융합될 수 있을 것인가? 본 저자가 사랑경영학의 가능성에 대해서 처음으로 접한 것은 서울과학종합대학원대학교 경영학 박사과정 재학 중에 경영학의 그루인 조동성 이사장님의 강의를 통해서이다. 조동성 이사장님은 주체 기반 이론, 환경 기반 이론, 자원 기반 이론을 통합한 메커니즘 기반 관점을 제시한 분이시다. 메커니즘 기반 관점에 대해서 강의하시는 중간 플로어에서 누군가가 질문을 하였다. "교수님이 보시기에 메커니즘 다음 즉 next step은 무엇이라고 생각하시는지요?" 이에 대한 조동성 이사장님의 답변이 본 저자의 과거와 현재를 명확하게 정리하고 미래의 방향성에 큰 획을 그어주었다. 답변의 키워드는 바로 "사랑 경영", "사랑 경영학"이었다.

수십 년 동안 경영학 연구에 매진하신 조동성 이사장님이

기업의 지속 가능함을 위한 핵심 키워드로서 "사랑 경영", "사랑 경영학"을 말씀하신다면 그것은 바로 본 저자가 그 자리에 있었던 이유, 과거에 살아왔던 여정에 대한 해석, 그리고 앞으로 나아가야 할 사명이라는 영감이 강하게 밀려왔다. 10여 년 전 목회자로서 10년간 화려하게 승리를 거두었던 지역교회 목회를 뒤로 하고 자신을 스스로 경제영역 파송 선교사로 정의하고 경제영역에서 스타트업, 중소기업, 대기업을 누비며 수없이 많은 CEO분, 임원분들, 직장인분들을 교육하고, 코칭하고, 컨설팅하면서 달려왔다. 이 모든 여정이 바로 사랑경영학을 교육하고, 코칭하고, 컨설팅해 왔던 것이라는 정리가 순간적으로 분명하게 되었다. 더 나아가 10여 년간의 경제영역 파송 선교사로서의 사역을 정리하면서 느끼고 있었던 한계점이 바로, 이 사랑경영학에 대한 학문적 토대가 부족해서였다는 것을 확신할 수 있었다.

이러한 과정을 통해서 앞으로 본 저자의 사명은 사랑경영학을 학문적으로 정립하고 사랑경영학을 확산하여 더욱 많은 경영인이 사랑으로 기업을 경영하여, 함께하는 모든 조직구성원이 행복할 수 있도록 돕는 바로 그것이라고 확신할 수 있었다. 그렇게 다짐하고 약 3년 전 [사랑경영학 프롤로그:

조직구성원의 행복 - 이론 편]과 소책자 단행본 [아가페사랑경영관점에서 본 품위 있는 일자리(SDG 8)]를 출간하였다. 이러한 연구 과정에서 사랑경영학을 기독교 신학과 경영학의 융합으로 보고, 사랑경영학의 특정 분야로서 아가페 사랑경영관점을 제안하게 되었다. 사랑 경영이라고 할 때, 다양한 사랑 경영이 존재할 수 있다. 연인 간의 사랑을 상징하는 에로스 사랑 경영도 가능할 것이고, 친구 간의 우정을 상징하는 필레오 사랑 경영도 가능할 것이고, 부모의 사랑을 상징하는 스톨게 사랑경영도 가능할 것이다. 그러나 본 저자는 기독교 신학의 아가페 사랑 경영을 논하고자 한다. 따라서 아가페 사랑 경영이란 기독교 신학에 입각한, 하나님의 말씀에 근거한 경영이라고 볼 수 있다. 이를 아가페 사랑경영관점으로 명명하고자 한다.

아가페사랑경영관점에서 사랑은 성경에 나와 있는 아가페 사랑을 의미한다. '과연 영리를 목적으로 하는 기업이 아가페 사랑에 근거하여 경영하는 것이 가능한가?'라는 질문을 하지 않을 수 없다. 그러나 경영을 해 본 사람이라면 누구나 느낄 것이다. 정말 올바르게 하려면, 정말 정도(正道)로 경영하려면, 정말 윤리적으로 경영하려면, 더 나아가 정말 조직구성원 모두가 행복한 경영을 하려면 아가페 사랑으로 경영하지 않으면 안 된다는 것을 누구나 고백할 수밖에 없을 것이다. 모든 개념은 정의가 중요하다는 데 동의할 것이다. 그렇다면 아가페사랑경영관점에서 사랑 즉 아가페 사랑을 어떻게 정의할 수 있을 것인가? 바로 아가페사랑경영관점의 사랑에 해당하는 아가페 사랑의 조작적 정의가 아가페 사랑경영관점을 논의하는 데 있어서 가장 중요할 것으로 생각한다.

아가페 사랑은 교회를 열심히 다니고, 기독교 신앙심이 깊은 분들이라도 정확하게 정의하기가 쉽지 않을 것이다. 아가페 사랑의 정의를 잘 안다고 하는 사람이라도 '신적인 사랑, 희생적인 사랑' 정도로만 정의할 수 있을 것이다. 따라서 이 책을 통해서 아가페 사랑을 새롭게 조작적으로 정의하고자 한다. 흔히 성경의 아가페 사랑에 관한 가장 유명한 본문은 고린도전서 13장이다. 너무나 유명해서 많은 분이 알고 계실 것이다. 간략한 내용은 다음과 같다. 고린도전서 13장 4에서 7절이다. "사랑은 오래 참고 사항은 온유하며 시기하지 아니하며 사랑은 자랑하지 아니하며 교만하지 아니하며 무례히 행하지 아니하며 자기의 유익을 구하지 아니하며 성내지 아니하며 악한 것을 생각하지 아니하며 불의를 기뻐하지 아니하며 진리와 함께 기뻐하고 모든 것을 참으며 모든 것을 믿으며 모든 것을 바라며 모든 것을 견디느니라" 언뜻 보면 아가페 사랑의 정의를 "오래 참는 것"과 같이 정의할 수 있을 것 같은 생각이 든다. 그러나 이 고린도전서 13장은 아가페 사랑의 정의라기보다는 아가페 사랑의 특징이라고 볼 수 있다. 이 고린도전서 13장은 추후 아가페 사랑경영관점을 실천하는 데 있어서 중요한 지침이 된다는 면에서는 매우 중요한 성경 구절이라고 볼 수 있다. 그러나 아가페 사랑의 정의를 의미한다고 보기는 좀 어려워 보인다. 따라서 본 저자는 성경이 말하고 있는 아가페 사랑의 정의를 좀 생소한 성경 구절에서 찾아보고자 한다. 바로 에베소서 5장 28절과 29절이다. 먼저 28절은 다음과 같다. "이와 같이 남편들도 자기 아내 사랑하기를 제 몸같이 할지니 자기 아내를 사랑하는 자는 자기를 사랑하는 것이라" 28절은 남편과 아내 간의 사랑을 언급하고 있다. 남편들이 자기 아내를 아가페 사랑으로 사랑하기를 자기 몸을 사랑하는 것같이 하라는 것이다. 자기 아내를 아가페의 사랑으로 사랑하는 자는 자기 자신 즉 자기 몸을 아가페의 사랑으로 사랑하는 것이라고 언급한다.

더 나아가 29절은 다음과 같다. "누구든지 언제든지 제 육체를 미워하지 않고 오직 양육하여 보호하기를 그리스도께서 교회를 보양함과 같이 하나니" 누구든지 언제든지 자기 육체를 미워하지 않고 사랑하는 사람은 자기 몸을 양육(육성)하고 보호한다는 것이다. 이렇게 자기 몸을 사랑하는 자는 그리스도께서 교회를 보양함과 같이 한다는 것이다. 여기서 보양한다는 것이 보호하고 양육(육성)한다는 말의 줄임말이다. 28절과 29절을 연결하면 자기 자신, 자기 몸을 아가페의 사랑으로 사랑하는 사람은 자기 몸을 양육(육성)하고 보호한다는 것이다. 그리스도께서 아가페의 사랑으로 교회를 사랑하여서 보양 즉 보호하고 양육(육성)하는 것과 같이 말이다. 여기서 우리는 성경이 말하고 있는 아가페 사랑의 정의를 단순하게 규정할 수 있다. 성경이 말하는 아가페 사랑은 보호하고 양육(육성)하는 것이다. 자녀를 양육해 본 경험이 있는 사람이라면 이 정의가 매우 입체적으로 다가올 것이다. 우리는 자녀를 보호한다. 동시에 양육(육성)한다. 왜 그렇게 하는가? 사랑하기 때문이다. 너무 보호만 해서도 안 되고, 너무 양육 즉 육성에만 초점을 맞춰서도 안 된다. 너무 보호만 하면 자녀는 유약해지고, 너무 육성시키

려고만 하면 자녀는 견디기 힘들어하고 일탈하게 된다. 다시 말해서 적절하게 보호하고, 적절하게 양육 즉 육성시켜야 한다.

이러한 맥락에서 본 저자는 아가페사랑경영관점을 논할 때, "아가페 사랑"의 조작적 정의를 "(대상의 상황과 특성에 맞게) 보호하고 육성(양육)하는 것"이라고 정의하고자 한다. 경영학과 연결하자면, 경영자는 경영자 자신을 비롯하여 모든 조직구성원을 보호해야 하고, 모든 조직구성원을 육성해야 한다. 경영을 Plan, Do, See로 정의한다면, 보호와 육성의 관점으로 계획하고, 보호와 육성의 관점으로 실행하고, 보호와 육성의 관점으로 평가하고 피드백한다면 이를 아가페사랑경영관점으로 경영한다고 말할 수 있을 것이다. 이렇게 보호와 육성의 관점으로, 혹은 보호와 육성을 극대화하는 방향으로 기업을 경영해 나간다면 기업이 지속적인 이윤을 내어서 지속할 수 있을 뿐 아니라, 기업이 정도(正道)로 경영되고, 기업이 윤리적으로 경영되어 지속 가능할 수 있다는 논리적인 전개를 할 수 있을 것이다. 더 나아가 모든 조직구성원이 행복하게 될 수 있는 결과에 도달할 수 있을 것이다. 따라서 아가페사랑경영관점은 이러한 아가페사랑경영관점으로 경영하는 것을 의미한다. 즉 보호와 육성의 관점으로 경영하는 것을 의미한다. 이러한 맥락에서 앞으로 아가페사랑경영관점을 논하고자 한다.

전술한 바와 같이 아가페사랑경영관점은 사랑의 대상을 보호하고 육성하는 기독교 전통의 보양(保養) 관점을 의미한다(엡 5:29). 아가페 사랑은 사랑 실천의 대상을 보호(protection)하고 육성(nutrition)하는 것을 의미한다. 이러한 아가페 사랑과 가장 유사한 개념이 있다면 그것은 부모가 자녀를 양육하는 parenting이라고 볼 수 있다. 따라서 아가페사랑경영관점은 parenting leadership과 유사하며 보호와 육성이라는 두 가지 핵심 요소를 가지고 있다. 이러한 아가페사랑경영관점은 경영자들이 기업을 지속 가능하게 하기 위한 노력의 핵심 동기가 될 수 있을 것이다. 더 나아가 아가페사랑경영관점은 기업이 지속가능성을 높이기 위한 다양한 노력이 단순한 비용이 아니라 투자라는 관점으로 접근할 수 있도록 경영자의 시각을 전환할 수 있을 것이다.

대한민국의 많은 기업이 이 아가페사랑경영관점으로 모든 조직구성원을 보호하고 육성하는 방향으로 경영해 나간다면 대한민국은 이전보다 더욱 정도(正道)를 향해 나아가며, 더욱더 윤리적이며, 더욱 지속 가능한 기업들을 보유할 수 있다고 확신한다. ESG 경영이 화두가 되는 현시점에서 아가페 사랑으로 경영하는 "아가페사랑경영관점"은 논의할 가치가 있다고 생각한다. 더 나아가 본 저자는 이 아가페사랑경영관점으로 본 UN의 지속가능발전목표 SDGs를 논의하고자 한다. 보호와 육성이라는 아가페사랑경영관점에 근거하여 UN의 지속가능발전목표들을 각각 살펴보고자 한다. 더 나아가 본 연구를 통해 UN SDGs의 실천을 위한 근본적인 동기로서 아가페사랑경영관점을 제안하고자 한다.

본 칼럼에 관심 있는 분들은 다음과 같은 저의 책들을 참고하시면 도움이 될 것 같습니다.

『아가페사랑경영관점에서 본 빈곤 퇴치(UN SDG 1)』

『아가페사랑경영관점에서 본 기아 종식(UN SDG 2)』

『아가페사랑경영관점에서 본 건강과 웰빙(UN SDG 3)』

『아가페사랑경영관점에서 본 양질의 교육(UN SDG 4)』

『아가페사랑경영관점에서 본 양성평등(UN SDG 5)』

『아가페사랑경영관점에서 본 물과 위생(UN SDG 6)』

『아가페사랑경영관점에서 본 깨끗하고 저렴한 에너지(UN

SDG 7)』

『아가페사랑경영관점에서 본 깨끗하고 양질의 일자리(UN SDG 8)』

『아가페사랑경영관점에서 본 깨끗하고 혁신과 인프라 구축(UN SDG 9)』

『아가페사랑경영관점에서 본 깨끗하고 불평등 완화(UN SDG 10)』

『아가페사랑경영관점에서 본 지속 가능한 도시(UN SDG 11)』

『아가페사랑경영관점에서 본 지속 가능한 소비와 생산(UN SDG 12)』

『아가페사랑경영관점에서 본 지속 가능한 기후변화 대응(UN SDG 13)』

『아가페사랑경영관점에서 본 지속 가능한 해양 생태계(UN SDG 14)』

『아가페사랑경영관점에서 본 지속 가능한 육상 생태계(UN SDG 15)』

『아가페사랑경영관점에서 본 지속 가능한 평화와 정의, 제도(UN SDG 16)』

『아가페사랑경영관점에서 본 파트너십(UN SDG 17)』